PLATERO Y YO

PLATERO AND I (SPANISH EDITION)

JUAN RAMÓN JIMÉNEZ

D1489913

COMPASS CIRCLE

Title/ Título:
Platero and I (Spanish Edition): Platero y Yo.
Current edition published by Compass Circle in 2021.
Primera edición publicada por Compass Circle, 2021.

Published by Compass Circle
Cover copyright ©2021 by Compass Circle.

Publicado por Compass Circle
Todos los derechos reservados.

Note:
All efforts have been made to preserve original spellings and punctuation of the original edition which may include old-fashioned English spellings of words and archaic variants.
This book is a product of its time and does not reflect the same views on race, gender, sexuality, ethnicity, and interpersonal relations as it would if it were written today.
For information contact :
information@compass-circle.com

Nota:
Este libro es un producto de su tiempo y no refleja los mismos puntos de vista sobre la raza, el género, la sexualidad, etnia y/o relaciones interpersonales que si se escribiera hoy.
Para información contactar:
information@compass-circle.com

Mira: todo lo fuerte se hace, con su adorno, delicado.
Más rosas, más rosas, más rosas...

JUAN RAMÓN JIMÉNEZ

SERIE "SABIDURÍA SECRETA DE LOS TIEMPOS"

La vida se presenta, avanza rápidamente. La vida, en efecto, nunca se detiene. Nunca se detiene sino hasta el final. Las preguntas más diversas se asoman y se desvanecen en nuestras mentes. A veces buscamos respuestas. A veces dejamos que el tiempo pase.

El libro que tienes ahora en tus manos ha estado esperando ser descubierto por ti. Este libro podría revelarle las respuestas a algunas de sus interrogantes.

Los libros son amigos. Amigos que siempre están a tu lado y que pueden darte grandes ideas, consejos o simplemente reconfortar tu alma.

Un gran libro puede hacerte ver cosas en tu alma que aún no has descubierto, hacer que veas cosas en tu alma de las que no eras consciente. Grandes libros pueden cambiar tu vida para mejor. Pueden hacerte comprender teorías fascinantes, darte nuevas ideas, inspirarte a emprender nuevos retos o a caminar por nuevos caminos.

Las filosofías de la vida como la de Juan Ramón Jiménez son, en efecto, un secreto para muchos, pero para aquellos de nosotros que tenemos la suerte de haberlas descubierto, de una manera u otra, estos libros pueden iluminarnos. Pueden abrirnos una amplia gama de posibilidades. Porque alcanzar la grandeza requiere conocimiento.

La serie "SABIDURÍA SECRETA DE LOS TIEMPOS" presentada por Compass Circle intenta ofrecerte las grandes obras maestras del desarrollo personal, el pensamiento positivo y la ley de la atracción.
Le invitamos a descubrir con nosotros fascinantes obras de Sócrates, Platón, Henry Thoreau, entre otros.

ADVERTENCIA Á LOS HOMBRES QUE LEAN ESTE LIBRO PARA NIÑOS

E STE *breve libro, en donde la alegría y la pena son gemelas, cual las orejas de Platero, estaba escrito para... ¡qué sé yo para quién!... para quien escribimos los poetas líricos... Ahora que va á los niños, no le quito ni le pongo una coma. ¡Qué bien!*

«Dondequiera que haya niños—dice Nóvalis—, existe una edad de oro.» Pues por esa edad de oro, que es como una isla espiritual caída del cielo, anda el corazón del poeta, y se encuentra allí tan á su gusto, que su mejor deseo sería no tener que abandonarla nunca.

¡Isla de gracia, de frescura y de dicha, edad de oro de los niños; siempre te halle yo en mi vida, mar de duelo; y que tu brisa me dé su lira, alta y, á veces, sin sentido, igual que el trino de la alondra en el sol blanco del amanecer!

EL POETA

Madrid, 1914

PLATERO Y YO

I
PLATERO

P LATERO es pequeño, peludo, suave; tan blando por
fuera, que se diría todo de algodón, que no lleva huesos.
Sólo los espejos de azabache de sus ojos son duros cual dos
escarabajos de cristal negro.

Lo dejo suelto, y se va al prado, y acaricia tibiamente con
su hocico, rozándolas apenas, las florecillas rosas, celestes
y gualdas... Lo llamo dulcemente: "¿Platero?", y viene á mí
con un trotecillo alegre que parece que se ríe, en no sé qué
cascabeleo ideal...

Come cuanto le doy. Le gustan las naranjas mandarinas,
las uvas moscateles, todas de ámbar, los higos morados, con
su cristalina gotita de miel...

Es tierno y mimoso igual que un niño, que una niña...;
pero fuerte y seco como de piedra. Cuando paso, sobre
él, los domingos, por las últimas callejas del pueblo, los
hombres del campo, vestidos de limpio y despaciosos, se
quedan mirándolo:

—Tiene acero...

Tiene acero. Acero y plata de luna, al mismo tiempo.

II

PAISAJE GRANA

LA cumbre. Ahí está el ocaso, todo empurpurado, herido por sus propios cristales, que le hacen sangre por doquiera. A su esplendor, el pinar verde se agria, vagamente enrojecido; y las hierbas y las florecillas, encendidas y transparentes, embalsaman el instante sereno de una esencia mojada, penetrante y luminosa.

Yo me quedo extasiado en el crepúsculo. Platero, granas de ocaso sus ojos negros, se va, manso, á un charco de aguas de carmín, de rosa, de violeta; hunde suavemente su boca en los espejos, que parece que se hacen líquidos al tocarlos él; y hay por su enorme garganta como un pasar profuso de umbrías aguas de sangre.

El paraje es conocido, pero el momento lo trastorna y lo hace extraño, ruinoso y monumental. Se dijera, á cada instante, que vamos á descubrir un palacio abandonado... La tarde se prolonga más allá de sí misma, y la hora, contagiada de eternidad, es infinita; pacífica, insondable...

—Anda, Platero...

III
ALEGRÍA

PLATERO juega con Diana, la bella perra blanca que se parece á la luna creciente, con la vieja cabra, gris, con los niños...

Salta Diana, ágil y elegante, delante del burro, sonando su leve campanilla, y hace como que le muerde los hocicos. Y Platero, poniendo las orejas en punta, cual dos cuernos de pita, la embiste blandamente y la hace rodar sobre la hierba en flor.

La cabra va al lado de Platero, rozándose á sus patas, tirando, con los dientes, de la punta de las espadañas de la carga. Con una clavellina ó con una margarita en la boca, se pone frente á él, le topa en el testuz, y brinca luego, y bala alegremente, mimosa igual que una mujer...

Entre los niños, platero es de juguete. ¡Con qué paciencia sufre sus locuras! ¡Cómo va despacito, deteniéndose, haciéndose el tonto, para que ellos no se caigan! ¡Cómo los asusta, iniciando, de pronto, un trote falso!

· · · · · · ·

¡Claras tardes del otoño moguereño! Cuando el aire puro de Octubre afila los límpidos sonidos, sube del valle un alborozo idílico de balidos, de rebuznos, de risas de niños, de ladridos y de campanillas...

IV
MARIPOSAS BLANCAS

LA noche cae, brumosa ya y morada. Vagas claridades malvas y verdes perduran tras la torre de la iglesia. El camino sube, lleno de sombras, de campanillas, de fragancia de hierba, de canciones, de cansancio y de anhelo. De pronto, un hombre obscuro, con una gorra y un pincho, roja un instante la cara fea por la luz del cigarro, baja á nosotros de una casucha miserable, perdida entre sacas de carbón. Platero se amedrenta.

—¿Va algo?

—Vea usted... Mariposas blancas...

El hombre quiere clavar su pincho de hierro en el seroncillo, y yo lo evito. Abro la alforja y él no ve nada. Y el alimento ideal pasa, libre y cándido, sin pagar su tributo á los Consumos...

V

LA PRIMAVERA

¡Ay, qué relumbres y olores!
¡Ay, cómo ríen los prados!
¡Ay, qué alboradas se oyen!

Romance popular.

E N mi duermevela matinal, me malhumora una endia-
blada chillería de chiquillos. Por fin, sin poder dormir
más, me echo, desesperado, de la cama. Entonces, al mirar
el campo por la ventana abierta, me doy cuenta de que los
que alborotan son los pájaros.

Salgo al huerto y doy gracias al Dios del día azul. ¡Libre
concierto de picos, fresco y sin fin! La golondrina riza, ca-
prichosa, su canto en el pozo; silba el mirlo sobre la naranja
caída; de fuego, la oropéndola charla en el chaparro; el cha-
mariz, ríe larga y menudamente en la cima del eucalipto; y,
en el pino grande, los gorriones discuten desaforadamente.

¡Cómo está la mañana! El sol pone en la tierra su alegría
de plata y de oro; mariposas de cien colores juegan por
todas partes, entre las flores, por la casa, en el manantial.
Por doquiera, el campo se abre en estallidos, en crujidos,
en un hervidero de vida sana y nueva.

Parece que estuviéramos dentro de un g r a n panal de
luz, que fuese el interior de una inmensa y, cálida rosa
encendida.

VI

¡ANGELUS!

MIRA, Platero, qué de rosas caen por todas partes: rosas azules, rosas, blancas, sin color... Diríase que el cielo se deshace en rosas. Mira cómo se me llenan de rosas la frente, los hombros, las, manos... ¿Qué haré yo con tantas rosas?

¿Sabes tú, quizás, de dónde es esta blanda flora, que yo no sé de dónde es, que enternece, cada día, el paisaje y lo deja dulcemente rosado, blanco y celeste—, mas rosas, más rosas—, como un cuadro de Fra Angelico, el que pintaba el cielo de rodillas?

De las siete galerías del Paraíso se creyera que tiran rosas á la tierra. Cual en una nevada tibia y vagamente colorida, se quedan las rosas en la torre, en el tejado, en Jos árboles. Mira: todo lo fuerte se hace, con su adorno, delicado. Más rosas, más rosas, más rosas...

Parece, Platero, mientras suena el *Angelus*, que esta vida nuestra pierde su fuerza cotidiana, y que otra fuerza de adentro, más altiva, más constante y más pura, hace que todo, como en surtidores de gracia, suba á las estrellas, que se encienden ya entre las rosas... Más rosas.... Tus ojos, que tú no ves, Platero, y que alzas mansamente al cielo, son dos bellas rosas.

VII

EL LOCO

VESTIDO de luto, con mi barba nazarena y mi breve sombrero negro, debo cobrar un extraño aspecto cabalgando en la blandura gris de Platero.

Cuando, yendo á las viñas, cruzo las últimas calles, blancas de cal con sol, los chiquillos gitanos, aceitosos y peludos, fuera de los harapos verdes, rojos y amarillos, las tensas barrigas tostadas, corren detrás de nosotros, chillando largamente:

—¡El loco! ¡El loco! ¡El loco!

...Delante está ya el campo verde. Frente al cielo inmenso y puro, de un incendiado añil, mis ojos—¡tan lejos de mis oídos!—se abren noblemente, recibiendo en su calma esa placidez sin nombre, esa serenidad armoniosa y divina que vive en el sinfín del horizonte...

Y quedan, allá lejos, por las altas eras, unos agudos gritos, velados finamente, entrecortados, jadeantes, aburridos:

—¡El lo...co! ¡El io...co!

VIII

LA FLOR DEL CAMINO

QUÉ pura, Platero, y qué bella es esta flor del camino! Pasan a su lado todos los tropeles—los toros, las cabras, los potros, los hombres—, y ella, tan tierna y tan débil, sigue enhiesta, malva y fina, en su vallado triste, sin contaminarse de impureza alguna.

Todos los días, cuando, al empezar la cuesta, tomamos el atajo, tú la has visto en su puesto verde. Ya tiene á su lado un pajarillo, que se levanta—¿por qué?—al acercarnos; ó está llena, cual una breve copa, del agua clara de una nube de verano; ya consiente el robo de una abeja ó el voluble adorno de una mariposa.

Esta flor vivirá pocos días, Platero, pero su recuerdo ha de ser eterno. Será su vivir como un día de tu primavera, como una primavera de mi vida. ¡Ay! ¿Qué le diera yo al otoño, Platero, á cambio de esta flor divina, para que ella fuese, diariamente, el ejemplo sencillo de la nuestra?

IX
RONSARD

LIBRE ya Platero del cabestro, y paciendo entre las castas margaritas del pradecillo, me he echado yo bajo un pino, he sacado de la alforja moruna un breve libro y, abriéndolo por una señal, me he puesto á leer en alta voz:

Comme on voit sur la branche au mois de mai la rose
En sa belle jeunesse, en sa première fleur,
Rendre le ciel jaloux de...

Arriba, por las ramas últimas, salta y pía un leve pajarillo, que el sol hace, cual toda la verde cima suspirante, de oro. Entre vuelo y gorjeo, se oye el partirse de las semillas que el pájaro se está almorzando.

...jaloux de sa vive couleur...

Una cosa enorme y tibia avanza, de pronto, como una proa viva, sobre mi hombro... Es Platero, que, sugestionado, sin duda, por la lira de Orfeo, viene á leer conmigo. Leernos:

...vive couleur,
Quand l'aube de ses pleurs
au point du jour l'a...

Pero el pajarillo, que debe digerir aprisa, tapa la palabra con una nota falsa.

Ronsard se debe haber reído en el infierno...

X

LA LUNA

PLATERO acababa de beberse dos cubos de agua con estrellas en el pozo del corral, y volvía á la cuadra, lento y distraído entre los altos girasoles. Yo le aguardaba en la puerta, echado en el quicio de cal y envuelto en la tibia fragancia de los heliotropos.

Sobre el tejadillo, húmedo de las blanduras de septiembre, dormía el campo lejano, que mandaba un fuerte aliento de pinos. Una gran nube negra, como una gigantesca gallina que hubiese puesto un huevo de oro, puso la luna sobre una colina.

Yo le dije á la luna:

> ...Ma sola
> ha questa luna in ciel, che da nessuno
> cader fu vista mai se non in sogno.

Platero la miraba fijamente y sacudía, con un duro ruido blando, una oreja. Me miraba absorto, y sacudía la otra...

XI

EL CANARIO VUELA

U N día, el canario verde, no sé cómo ni por qué, voló de su jaula. Era un canario viejo, recuerdo triste de una muerta, al que yo no había dado libertad por miedo de que se muriera de hambre ó de frío, ó de que se lo comieran los gatos.

Anduvo toda la mañana entre los granados del huerto, en el pino de la puerta, por las lilas. Los niños estuvieron, toda la mañana también, sentados en la galería, absortos en los breves vuelos del pajarillo amarillento. Libre, Platero, holgaba junto á los rosales, jugando con una mariposa.

A la tarde, el canario se vino al tejado de la casa grande, y allí se quedó largo tiempo, latiendo en el suave sol que declinaba. De pronto, y sin saber nadie cómo ni por qué, apareció en la jaula, otra vez alegre.

¡Qué alborozo en el jardín! Los niños saltaban, tocando las palmas, arrebolados y rientes como auroras; Diana, loca, los seguía, ladrándole á su propia y riente campanilla; Platero, contagiado, en un oleaje de carnes de plata, igual que un chivillo, hacía corvetas, giraba sobre sus patas, en un vals tosco, y, poniéndose en las manos, daba coces al aire claro y tibio...

XII

SUSTO

ERA la comida de los niños. Soñaba la lámpara su rosada lumbre tibia sobré el mantel de nieve, y los geranios rojos y las pintadas manzanas coloreaban de una áspera alegría aquel sencillo idilio de caras inocentes. Las niñas comían como mujeres; los niños discutían como algunos hombres. Al fondo, dando el pecho á un pequeñuelo, la madre, joven, rubia y bella, los miraba sonriendo. Por la ventana del jardín, la clara noche de estrellas temblaba, dura y fría.

De pronto, Blanca huyó, como un débil rayo, á los brazos de la madre. Hubo un súbito silencio, y luego, en un estrépito de sillas caídas, todos corrieron tras de ella, con un raudo alborotar, mirando, espantados, á la ventana.

¡El tonto de Platero! Puesta en el cristal su cabezota blanca, agigantada por la sombra, los cristales y el miedo, contemplaba, quieto y triste, el dulce comedor encendido.

XIII

LA ESPINA

ENTRANDO en la dehesa, Platero ha comenzado á cojear. Me he echado al suelo...

—Pero, hombre, ¿qué te pasa? Platero ha dejado la mano derecha un poco levantada, mostrando la ranilla, sin fuerza y sin peso, sin tocar casi con el casco la arena ardiente del camino.

Con una solicitud mayor, sin duda, que la del viejo Darbón, su médico, le he doblado la mano y le he mirado la ranilla roja. Una espina larga y verde, de naranjo sano, está clavada en ella como un redondo puñalillo de esmeralda. Estremecido del dolor de Platero, he tirado de la espina; y me lo he llevado al pobre al arroyo de los lirios amarillos, para que el agua corriente le lama, con su larga lengua pura, la heridilla.

Después, hemos seguido hacia la mar blanca, yo delante, él detrás, cojeando todavía y dándome suaves topadas en la espalda...

XIV

JUEGOS DEL ANOCHECER

CUANDO, en el crepúsculo del pueblo, Platero y yo entramos, ateridos, por la obscuridad morada de la calleja miserable que da al río seco, los niños pobres juegan á asustarse, fingiéndose mendigos. Uno se echa un saco á la cabeza, otro dice que no ve, otro se hace el cojo...

Después, en ese brusco cambiar de la infancia, como llevan unos zapatos y un vestido, y como sus madres, ellas sabrán cómo, les han dado algo de comer, se creen unos príncipes:

—Mi padre tiene un reloj de plata.

—Y el mío, un caballo.

—Y el mío, una escopeta.

Reloj que levantará á la madrugada, escopeta que no matará el hambre, caballo que llevará á la miseria...

El corro, luego. Entre tanta negrura, una niña, con voz débil, hilo de cristal acuoso en la sombra, canta entonadamente, cual una princesa:

> Yo soy la viudita
> del Conde de Oré...

...¡Sí, sí! ¡Cantad, soñad, niños pobres! Pronto, al amanecer vuestra adolescencia, la primavera os asustará, como un mendigo, enmascarada de invierno.

—Vamos, Platero...

XV

AMISTAD

NOS entendemos bien. Yo lo dejo ir á su antojo, y él me lleva siempre adonde quiero.

Sabe Platero que, al llegar al pino de la Corona, me gusta acercarme á su tronco y acariciárselo, y mirar al cielo al través de su enorme y clara copa; sabe que me deleita la veredilla que va, entre céspedes, á la fuente vieja; que es para mí una fiesta ver el río desde la colina de los pinos, evocadora, de un paraje clásico. Como me adormile, seguro, sobre él, mi despertar se abre siempre á uno de tales amables espectáculos.

Yo trato á Platero cual si fuese un niño. Si el camino se torna fragoso y le peso un poco, me bajo para aliviarlo. Lo beso, lo engaño, lo hago rabiar... Él comprende bien que lo quiero, y no me guarda rencor. Es tan igual á mí, que he llegado á creer que sueña mis propios sueños.

Platero se me ha rendido como una adolescente apasionada. De nada protesta. Sé que soy su felicidad. Hasta huye de los burros y de los hombres...

XVI

LA NOVIA

E L claro viento del mar sube por la cuesta roja, llega al prado del cabezo, ríe entre las tiernas florecillas blancas; después, se enreda por los pinetes sin limpiar y mece las encendidas telarañas celestes, rosas, de oro... Toda la tarde es ya viento marino. Y el sol y el viento ¡dan un blando bienestar al corazón!

Platero me lleva, contento, ágil, dispuesto. Se dijera que no le peso. Subimos, como si fuésemos cuesta abajo, á la colina. A lo lejos, una cinta brillante, incolora, vibra, entre Los últimos pinos, en un aspecto de paisaje isleño. En los prados verdes, allá abajo, saltan los asnos trabados, de mata en mata.

Un estremecimiento primaveral vaga por las cañadas. De pronto, Platero, yergue las orejas, dilata las levantadas narices, replegándolas hasta los ojos y dejando ver las grandes habichuelas de sus dientes amarillos. Está respirando largamente, de los cuatro vientos, no sé qué honda esencia que debe transirle el corazón. Sí. Ahí tiene ya, en otra colina, fina y gris sobre el cielo azul, á la amada. Y dobles rebuznos, sonoros y largos, rompen con su trompetería la hora luminosa y caen luego en gemelas cataratas.

He tenido que contrariar los instintos amables de mi pobre Platero. La bella novia del campo lo ve pasar, triste como él, con sus ojazos de azabache cargados de estampas. ¡Inútil pregón misterioso, que ruedas brutalmente por las margaritas!

Y Platero trota indócil, intentando á cada instante volverse, con un reproche en su trotecillo menudo:

—Parece mentira, parece mentira, parece mentira...

XVII

CALOSFRÍO

LA luna viene con nosotros, grande, redonda, pura. En los prados soñolientos se ven, vagamente, no sé qué cabras negras, entre las zarzamoras... Alguien se esconde, tácito, á nuestro pasar... Sobre el vallado, un almendro inmenso, níveo de flor y de luna, revuelta la copa con una nube blanca, cobija el camino asaeteado de estrellas de Marzo... Un olor penetrante á naranjas..., humedad y silencio... La cañada de las Brujas...

—¡Platero, qué... frío!

Platero, no sé si con su miedo ó con el mío, trota, entra en el arroyo, pisa la luna y la hace pedazos. Es como si un enjambre de claras rosas de cristal se enredara, queriendo retenerlo, á su trote...

Y trota Platero, cuesta arriba, encogida la grupa cual si alguien le fuese á alcanzar, sintiendo ya la tibieza suave del pueblo que se acerca...

XVIII

ELLA Y NOSOTROS

PLATERO; acaso ella se iba—¿adonde?—en aquel tren negro y soleado que, por la vía alta, cortándose sobre los nubarrones blancos, huía hacia el norte.

Yo estaba abajo, contigo, en el trigal amarillo y ondeante, goteado todo de sangre de amapolas, que ya Julio coronaba de ceniza. Y las nubecillas de vapor celeste—¿te acuerdas?—entristecían un momento el sol y las flores, rodando vanamente hacia la nada...

¡Breve cabeza rubia, velada de negro! Era como el retrato de la ilusión en el marco fugaz de la ventanilla.

Tal vez ella pensara:—¿Quiénes serán ese hombre enlutado y ese burrillo de plata?

¡Quiénes íbamos á ser! Nosotros... ¿verdad, Platero?

XIX

LA COZ

Í BAMOS al cortijo de Montemayor, al herradero de los novillos. El patio empedrado, sombrío bajo el inmenso y ardiente cielo azul de la tardecita, vibraba sonoro del relinchar de los caballos pujantes, del reir fresco de las mujeres, de los afilados ladridos inquietos de los perros. Platero, en un rincón, se impacientaba.

—Pero, hombre—le dije—, si tú no puedes venir con nosotros; si eres muy chico...

Se ponía tan loco, que le pedí al tonto que se subiera en él y lo llevara con nosotros.

Por el campo claro, ¡qué alegre cabalgar! Estaban las marismas risueñas y ceñidas de oro, con el sol en sus espejos rotos, que doblaban los molinos cerrados. Entre el redondo trote duro de los caballos, Platero alzaba su raudo trotecillo agudo, que necesitaba multiplicar insistentemente para no quedarse solo en el camino. De pronto, sonó como un tiro de pistola. Platero le había rozado la grupa á un fino potro tordo con su boca, y el potro le había respondido con una rápida coz. Nadie hizo caso, pero yo le vi á Platero una mano corrida de sangre. Eché pie á tierra y, con una espina y una crin, le prendí la vena rota. Luego le dije al tonto que se lo llevara á casa. Se volvieron los dos, lentos y tristes, por el arroyo seco que baja del pueblo, volviendo la cabeza al brillante huir de nuestro tropel.

Cuando, de vuelta del cortijo, fuí á ver á Platero, me lo encontré mustio y doloroso.

—¿Ves—le suspiré—que tú no puedes ir á ninguna parte con los hombres?

XX

ASNOGRAFÍA

LEO en un Diccionario: "*Asnografía*": *s. f.: se dice, irónicamente, por descripción del asno.*

¡Pobre asno! ¡Tan bueno, tan noble, tan agudo como eres! Irónicamente.,.. ¿Por qué? ¿Ni una descripción seria mereces, tú, cuya descripción cierta sería un cuento de primavera? ¡Si al hombre que es bueno debieran decirle asno! ¡Si al asno que es malo debieran decirle hombre! Irónicamente... De ti, tan intelectual, amigo del viejo y del niño, del arroyo y de la mariposa, del sol y del perro, de la flor y de la luna, paciente y reflexivo, melancólico y amable, Marco Aurelio de los prados...

Platero, que sin duda comprende, me mira fijamente con sus ojazos brillantes, de una blanda dureza, en los que el sol brilla, pequeñito y chispeante en un breve y convexo firmamento negro. ¡Ay! ¡Si su peluda cabezota idílica supiera que yo le hago justicia, que yo soy mejor que esos hombres que escriben Diccionarios, casi tan bueno como él!

Y he escrito al margen del libro; "*Asnografía: s. f.: se debe decir, con ironía, ¡claro está!, por descripción del hombre imbécil que escribe Diccionarios.*"

XXI

EL VERANO

PLATERO va chorreando sangre, una sangre espesa y morada, de las picaduras, de los tábanos. La chicharra sierra un pino, al que nunca se llega... Al abrir los ojos, después de un sueño instantáneo, el paisaje de arena se me torna blanco, frío en su ardor, espectral..

Están los jarales bajos constelados de sus grandes flores vagas, rosas de humo, de gasa, de papel de seda, con sus cuatro lágrimas de carmín; y una calina que asfixia, enyesa los pinos chatos. Un pájaro nunca visto, amarillo con lunares negros, se eterniza, mudo, en una rama.

Los guardas de los huertos suenan el latón para asustar los rabúos, que vienen, en grandes bandos celestes, por naranjas... Cuando llegamos á la sombra del nogal grande, rajo dos sandías, que abren su escarcha grana y rosa en un largo crujido fresco. Yo me como la mía lentamente, oyendo, á lo lejos, las vísperas del pueblo. Platero se bebe la carne de azúcar de la suya, como si fuese agua.

XXII

BARBÓN

DARBÓN, el médico de Platero, es grande como el buey pío, rojo como una sandía. Pesa once arrobas. Cuenta, según él, tres duros de edad.

Cuando habla, le faltan notas, cual á los pianos viejos; otras veces, en lugar de palabra, le sale un escape de aire. Y estas pifias llevan un acompañamiento de inclinaciones de cabeza, de manotadas ponderativas, de vacilaciones chochas, de quejumbres de garganta y salivas en el pañuelo, que no hay más que pedir. Un amable concierto para antes de la cena.

No le queda muela ni diente y casi sólo come migajón de pan, que amasa primero en la mano. Hace una bola y ¡á la boca roja! Allí la tiene, revolviéndola, una hora. Luego, otra bola, y otra. Masca con las encías, y la barba le llega á la aguileña nariz.

Digo que es grande como el buey pío. En la puerta de la herrería, tapa la casa. Pero se enternece, igual que un niño, con Platero. Y si ve una flor ó un pajarillo, se ríe de pronto, abriendo toda su boca, con una gran risa sostenida, que acaba siempre en llanto. Luego, ya sereno, mira del lado del cementerio viejo:

—Mi niña, mi pobrecita niña...

XXIII

LA ARRULLADORA

LA chiquilla del carbonero, guapa y sucia cual una moneda, bruñidos los negros ojos y reventando sangre los labios prietos entre la tizne, está á la puerta de la choza, sentada en una teja, durmiendo al hermanito.

Vibra la hora de Mayo, ardiente y clara como un sol por dentro. En la paz brillante, se oye el hervor de la olla que cuece en el campo, la brama de la dehesa, la alegría del viento del mar en la maraña de los eucaliptos.

Sentida y dulce, la carbonera canta:

> Mi niño se va á dormir
> en gracia de la Pastora...

Pausa. El viento...

> ...y por dormirse mi niño,
> se duerme la arrulladora...

El viento... Platero, que anda, manso, entre los pinos quemados, se llega, poco á poco... Luego se echa en la tierra fosca y, á la larga copla de madre, se adormila, igual que un niño.

XXIV

EL CANTO DEL GRILLO

P LATERO y yo conocemos bien, de nuestras correrías
nocturnas, el canto del grillo.

El primer canto del grillo, en el crepúsculo, es vacilante,
bajo y áspero. Muda de tono, aprende de si mismo y, poco á
poco, va subiendo, va poniéndose en su sitio, como si fuera
buscando la armonía del lugar y de la hora. De pronto, ya
las estrellas en el cielo verde y transparente, cobra el canto
un dulzor melodioso de cascabel libre.

Las frescas brisas moradas van y vienen; se abren del
todo las flores de la noche y vaga por el llano una esencia
pura y divina, de confundidos prados azules, celestes y
terrestres. Y el canto del grillo se exalta, llena todo el campo,
es cual la voz de la sombra. No vacila ya, ni se calla. Como
surtiendo de sí propio, cada nota es gemela de la otra, en
una hermandad de obscuros cristales.

Pasan, serenas, las horas. No hay guerra en el mundo y
duerme bien el labrador, viendo el cielo en el fondo alto de
su sueño. Tal vez el amor, entre las enredaderas de una tapia,
anda extasiado, los ojos en los ojos. Los habares mandan
al pueblo mensajes de fragancia tierna, cual en una libre
adolescencia candorosa y sutil. Y los trigos ondean, verdes
de luna, suspirando al viento de las dos, de las tres, de las
cuatro... El canto del grillo, de tanto sonar, se ha perdido...

¡Aquí está! ¡Oh canto del grillo por la madrugada, cuando, corridos de calosfríos, Platero y yo nos vamos á la cama
por las sendas blancas de relente! La luna, se cae, rojiza y
soñolienta. Ya el canto está borracho de luna, embriaga-
do de estrellas, romántico, misterioso, profuso. Es cuando

unas grandes nubes luctuosas, bordeadas de un malva azul y triste, sacan el día de la mar, lentamente...

XXV

CORPUS

ENTRANDO por la calle de la Fuente, de vuelta del huerto, las Campanas, que ya habíamos oído tres veces desde los arroyos, conmueven, con su pregonera coronación de bronce, el blanco pueblecillo. Su repique voltea y voltea entre el chispeante y estruendoso subir de los cohetes y la chillona metalería de la música.

La calle, recién encalada y ribeteada de almagra, verdea toda, vestida de chopos y juncias. Lucen las ventanas colgaduras de damasco granate, de seda amarilla, de celeste raso, y, en las casas en que hay luto, de lana cándida, con cintas negras. Por las últimas casas, en la vuelta del Porche, aparece, tarda, la Cruz de los espejos, que, entre los destellos del poniente, recoge ya la luz de los cirios rojos. Lentamente, pasa la procesión. La bandera carmín, y San Roque, patrón de los panaderos, cargado de tiernas roscas; la bandera glauca, y San Telmo, patrón de los marineros, con su navío de plata en las manos; la bandera gualda, y San Isidro, patrón de los labradores, con su yuntita de bueyes, y más banderas de colores, y más Santos, y luego, Santa Ana, dando lección á la Virgen, y San José, pardo, y la Inmaculada, azul... Al fin, entre la guardia civil, la Custodia, ornada de espigas granadas y de esmeraldinas uvas agraces su calada platería, despaciosa en su nube celeste de incienso.

En la tarde que cae, se alza, claro, el latín andaluz de los salmos. El sol, ya rosa, quiebra su rayo bajo, que viene por la calle del Río, en la cargazón de oro de las viejas capas pluviales. Arriba, en derredor de la torre escarlata, sobre el ópalo terso de la hora serena de Junio, las palomas tejen

29

sus altas guirnaldas de nieve encendida...

Platero, entonces, rebuzna. Y su mansedumbre se asocia, con la campana, con el cohete, con el latín y con la música, al claro misterio del día, y el rebuzno se le endulza, altivo, y, rastrero, se le diviniza...

XXVI

LA CUADRA

CUANDO, al mediodía, voy á ver á Platero, un transparente rayo del sol de las doce enciende un gran lunar de oro en la plata blanda de su lomo. Bajo su barriga, por el obscuro suelo, vagamente verde, el techo viejo llueve claras monedas de fuego.

Diana, que está echada entre las patas de Platero, viene á mí bailando y me pone sus manos en el pecho, anhelando lamerme la boca con su lengua rosa. Subida en lo más alto del pesebre, la cabra me mira curiosa, doblando la fina cabeza de un lado y de otro, con una femenina distinción. Entretanto, Platero, que, antes de entrar yo, me había ya saludado con un levantado rebuzno, quiere romper su cuerda, duro y alegre al mismo tiempo:

Por el tragaluz, que trae el irisado tesoro del cenit, me voy un momento, rayo de sol arriba, al cielo, desde aquel idilio. Luego, subiéndome á una piedra, miro el campo.

El paisaje verde nada en la lumbrarada florida y soñolienta, y en el azul limpio que encuadra el muro astroso, suena, dejada y dulce, una campana.

XXVII

EL PERRO SARNOSO

VENÍA, á Veces, flaco y anhelante, á la casa del huerto. El pobre andaba siempre huido, acostumbrado á los gritos y á las pedreas. Los mismos perros le enseñaban los colmillos. Y se iba otra vez, en él sol del mediodía, lento y triste, monte abajo.

Aquella tarde, llegó detrás de Diana. Cuando yo salía, el guarda, que en un arranque de mal corazón había sacado la escopeta, disparó contra él. No tuve tiempo de evitarlo. El pobre perro, con el tiro en las entrañas, giró vertiginosamente un momento, en un redondo aullido agudo, y cayó muerto bajo una acacia.

Platero miraba al perro fijamente, erguida la cabeza. Diana, temerosa, andaba escondiéndose de uno en otro. El guarda, arrepentido quizás, daba largas razones no sabía á quién, indignándose sin poder, queriendo acallar su remordimiento. Un velo parecía enlutecer el sol; un velo grande, como el velo pequeñito que nubló el ojo sano del perro asesinado. Abatidos por el viento del mar, los eucaliptos lloraban más reciamente en el hondo silencio aplastante que la siesta tendía por el campo de oro, sobre el perro muerto.

XXVIII

TORMENTA

MIEDO. Aliento contenido. Sudor frío. El terrible cielo bajo ahoga el amanecer. (No hay por dónde escapar.) Silencio... El amor se para. Tiembla la culpa. El remordimiento cierra los ojos. Más silencio...

El trueno, sordo, retumbante, interminable, como una enorme carga de piedra que cayera del cenit al pueblo, recorre, largamente, la mañana desierta. (No hay por dónde huir.) Todo lo débil—flores, pájaros—, desaparece de la vida.

Tímido, el espanto mira; por la ventana entreabierta á Dios, que se alumbra trágicamente. Allá en oriente, entre desgarrones de nubes, se ven malvas y rosas tristes, sucios, fríos, que no pueden vencer la negrura.

¡Angelus! Un *Angelus* duro y abandonado, solloza entre el tronido. ¿El último *Angelus* del mundo? Y se quiere que la campana acabe pronto, ó que suene más, mucho más, que ahogue la tormenta. Y se va de un lado á otro, y se implora, y no se sabe lo que se quiere...

(No hay por dónde escapar.) Los corazones están yertos. Los niños lloran...

—¿Qué será de Platero, tan solo allá en la indefensa cuadra del corral?

XXIX

PASAN LOS PATOS

HE ido á darle agua á Platero. En la noche serena, toda de nubes blancas y de estrellas, se oye, allá arriba, desde el silencio del corral, un incesante pasar de claros silbidos.

Son los patos. Van tierra adentro, huyendo de la tempestad marina. De vez en cuando, como si nosotros hubiéramos ascendido ó como si ellos hubiesen bajado, se escuchan los ruidos más leves de sus alas, de sus picos...

Horas y horas, los silbidos seguirán pasando, en un huir interminable.

Platero, de vez en cuando, deja de beber y levanta, como yo, la cabeza á las estrellas, con una blanda nostalgia infinita...

XXX

SIESTA

QUÉ triste belleza, amarilla y descolorida, la del sol de la tarde, cuando me despierto bajo la higuera!

Una brisa seca, embalsamada de derretida jara, me acaricia el sudoroso despertar. Las grandes hojas, levemente movidas, del blando árbol viejo, me enlutan ó me deslumbran. Parece que me mecieran suavemente en una cuna que fuese del sol á la sombra, de la sombra al sol.

Lejos, en el pueblo desierto, las campanas de las tres sueñan las vísperas, tras el oleaje de cristal del aire. Oyéndolas, Platero, que me ha robado una gran sandía de dulce escarcha grana, de pie, inmóvil, me mira con sus enormes ojos vacilantes.

Frente á sus ojos cansados, mis ojos se me cansan otra vez... Torna la brisa, cual una mariposa que quisiera volar y á la que, de pronto, se le doblaran las alas... las alas... mis párpados flojos, que, de pronto, se cerraran...

XXXI

LA TÍSICA

ESTABA derecha en una triste silla, blanca la cara y mate, cual un nardo ajado, enmedio de la encalada y fría alcoba. Le había mandado el médico salir al campo, á que le diera el sol de Marzo; pero la pobre no podía.

—Cuando llego al p u e n t e—me dijo—, ¡ya ve usted, señorito, ahí al lado que está!, me ahogo...

La voz pueril, delgada y rota, se le caía, cansada, como se cae, á veces, la brisa en el estío.

Yo le ofrecí á Platero para que diese un paseíto. Subida en él, ¡qué risa la de su aguda cara de muerta, toda ojos negros y dientes blancos!

...Las mujeres se asomaban á las puertas á vernos pasar. Iba Platero despacio, como sabiendo que llevaba encima un frágil lirio de cristal. La niña, con su hábito cándido, transfigurada por la fiebre y la alegría, parecía un ángel que entraba en el pueblo, camino del cielo del sur.

XXXII

PASEO

POR los hondos caminos del estío, colgados de tiernas madreselvas, ¡cuan dulcemente vamos! Yo leo, ó canto, ó digo versos al cielo. Platero mordisquea la hierba escasa de los vallados en sombra, la flor empolvada de las malvas, las vinagreras amarillas. Está parado más tiempo que andando. Yo lo dejo...

El cielo azul, azul, azul, asaeteado de mis ojos en arrobamiento, se levanta, sobre los almendros cargados, á sus últimas glorias. Todo el campo, silencioso y ardiente, brilla. En el río, una velita blanca se eterniza, sin viento. Hacia los montes, la compacta humareda de un incendio alza sus redondas nubes negras.

Pero nuestro caminar es bien corto. Es como un día suave é indefenso, enmedio de la vida múltiple. ¡Ni la apoteosis del cielo, ni el ultramar á que va el río, ni siquiera la tragedia de las llamas!

Cuando, entre un olor á naranjas, se oye el hierro alegre y fresco de la noria, Platero rebuzna y retoza alegremente. ¡Qué sencillo placer diario! Ya en la alberca, yo lleno mi vaso y bebo aquella nieve líquida. Platero sume en el agua umbría su boca, y bebe, aquí y allá, en lo más limpio, avaramente...

XXXIII

CARNAVAL

QUÉ guapo está hoy Platero! Es lunes de Carnaval, y los niños, que se han vestido de máscara, le han puesto el aparejo moruno, todo bordado en rojo, azul, blanco y amarillo, de cargados arabescos.

Agua, sol y frío. Los redondos papelillos de colores van rodando paralelamente por la acera, al viento agudo de la tarde, y las máscaras, ateridas, hacen bolsillos de cualquier cosa para las manos azules.

Cuando hemos llegado á la plaza, unas mujeres vestidas de locas, con largas camisas blancas y guirnaldas de hojas verdes en los negros y sueltos cabellos, han cogido á Platero en medio de su corro bullanguero, y han girado alegremente en torno de él.

Platero, indeciso, yergue las orejas, alza la cabeza, y, como un alacrán cercado por el fuego, intenta, nervioso, huir por doquiera. Pero, como es tan pequeño, las locas no le temen y siguen girando, cantando y riendo á su alrededor. Los chiquillos, viéndolo cautivo, rebuznan para que él rebuzne. Toda la plaza es ya un concierto altivo de metal amarillo, de rebuznos, de risas, de coplas, de panderetas y de almireces...

Por fin, Platero, decidido, igual que un hombre, rompe el corro y se viene á mí trotando y llorando, caído el lujoso aparejo. Como yo, no quiere nada con el Carnaval... No servimos para estas cosas...

XXXIV

EL POZO

EL pozo! Platero, ¡qué palabra tan honda, tan verdinegra, tan fresca, tan sonora! Parece que es la palabra la que taladra, girando, la tierra obscura, hasta llegar al agua.

Mira; la higuera adorna y desbarata el brocal. Dentro, al alcance de la mano, ha abierto, entre los ladrillos con verdín, una flor azul de olor penetrante. Una golondrina tiene, más abajo, el nido. Luego, tras un pórtico de sombra fría, hay un palacio de esmeralda, y un lago, que, al arrojarle una piedra á su quietud, se enfada y gruñe. Y el cielo, al fin.

(La noche entra, y la luna se inflama allá en el fondo, adornada de volubles estrellas. ¡Silencio! Por los caminos se ha ido la vida á lo lejos. Por el pozo se escapa el alma á lo hondo. Se ve por él como el otro lado del crepúsculo. Y parece que va á salir de su boca un gigante, dueño de todos los secretos. ¡Oh laberinto quieto y mágico, parque umbrío y fragante, magnético salón encantado!)

—Oye, Platero, si algún día me echo á este pozo, no será por matarme, créelo, sino por coger más pronto las estrellas.

Platero rebuzna, sediento y anhelante. Del pozo sale, asustada, revuelta y silenciosa, una golondrina.

XXXV

NOCTURNO

DEL pueblo en fiesta, rojamente iluminado hacia el cielo, vienen agrios valses nostálgicos en el viento suave. La torre se ve, lívida, muda y dura, en un errante limbo violeta, azulado, pajizo... Y allá, tras las bodegas obscuras del arrabal, la luna caída, amarilla y soñolienta, se pone, sobre el río.

El campo está solo con sus árboles y con la sombra de sus árboles. Hay un canto roto de grillo, una conversación sonámbula de aguas ocultas, una blandura húmeda, como si se deshiciesen las estrellas... Platero, desde la tibieza de su cuadra, rebuzna tristemente.

La cabra andará despierta, y su campanilla insiste agitada, dulce luego. Al fin, se calla... A lo lejos, hacia Montemayor, rebuzna otro asno... Otro, luego, por el Vallejuelo... Ladra un perro...

Es la noche tan clara, que las flores del jardín se ven de su color, como en el día. Por la última casa de la calle de la Fuente, bajo una roja y vacilante farola, tuerce la esquina un hombre solitario... ¿Yo? No, yo, en la fragante penumbra, celeste, móvil y dorada, que hacen la luna, las lilas, la brisa y la sombra, escucho mi hondo corazón sin par...

La esfera gira, blandamente...

XXXVI

EL NIÑO TONTO

SIEMPRE que volvíamos por la calle de San José, estaba el niño tonto á la puerta de su casa, sentado en su sillita, mirando el pasar de los otros. Era uno de esos pobres niños á quienes no llega nunca el don de la palabra ni el regalo de la gracia; niño alegre él y triste de ver; todo para su madre, nada para los demás.

Un día, cuando pasó por la calle blanca aquel mal viento negro, no estaba el niño en su puerta. Cantaba un pájaro en el solitario umbral, y yo me acordé de Curros, padre más que poeta, que, cuando se quedó sin su niño, le preguntó por él á la mariposa gallega:

Volvoreta d' aliñas douradas...

Ahora que viene la primavera, pienso en el niño tonto, que desde la calle de San José se fué al cielo. Estará sentado en su sillita, al lado de las rosas, viendo con sus ojos, abiertos otra vez, el dorado pasar de los gloriosos.

XXXVII

DOMINGO

L A pregonera vocinglería de la esquila de vuelta, cercana ya, ya distante, resuena en el cielo de la mañana de fiesta como si todo el azul fuera de cristal. Y el campo, un poco enfermo ya, parece que se dora de las notas caídas del alegre revuelo florido.

Todos, hasta el guarda, se han ido al pueblo para ver la procesión. Nos hemos quedado solos Platero y yo. ¡Qué paz! ¡Qué pureza! ¡Qué bienestar! Dejo á Platero en el prado alto, y yo me echo, bajo un pino, lleno de pájaros que no se van, á leer. Omar Khayyam...

En el silencio que queda entre los repiques, el hervidero interno de la mañana de Septiembre cobra presencia y sonido. Las avispas orinegras vuelan en torno de la parra cargada de sanos racimos moscateles, y las mariposas, que andan confundidas con las flores, parece que se ríen al revolar. Es la soledad como un gran pensamiento de luz.

De vez en cuando, Platero deja de comer, y me mira—Yo, de vez en cuando, dejo de leer, y miro á Platero...

XXXVIII

LA CARRETILLA

EN el arroyo grande, que la lluvia había dilatado hasta la viña, nos encontramos, atascada, una vieja carretilla, toda perdida bajo su carga de hierba y de naranjas. Una niña, rota y sucia, lloraba sobre una rueda, queriendo ayudar con el empuje de su pecho en flor al borriquillo, más pequeño ¡ay! y más flaco que Platero. Y el borriquillo se destrozaba contra el viento, intentando, inútilmente, arrancar del fango la carreta, al grito sollozante de la chiquilla. Era vano su esfuerzo, como el de los niños valientes, como el vuelo de esas brisas cansadas del verano que se caen, en un desmayo, entre las flores.

Acaricié á Platero y, como pude, lo enganché á la carretilla, delante del borrico miserable. Le obligué, entonces, con un cariñoso imperio, y Platero, de un tirón, sacó carretilla y rucio del atolladero, y les subió la cuesta.

¡Qué sonreir el de la chiquilla! Fué como si el sol de la tarde, que se rompía, al ponerse entre las nubes de agua, en amarillos cristales, le encendiese una aurora tras sus tiznadas lágrimas.

Con su llorosa alegría me ofreció dos escogidas naranjas. Las tomé, agradecido, y le di una al borriquillo débil; como dulce consuelo; otra á Platero, como premio áureo.

XXXIX

RETORNO

VENÍAMOS los dos, cargados, de los montes: Platero, de almoraduj; yo, de lirios amarillos.

Caía la tarde de Abril. Todo lo que en el poniente había sido cristal de oro, era luego cristal de plata, una alegoría, lisa y luminosa, de azucenas de cristal. Después el vasto cielo fué cual un zafiro transparente, trocado en esmeralda. Yo volvía triste.

Cerca ya, la torre del pueblo, coronada de refulgentes azulejos, cobraba, en el levantamiento de la hora pura, un aspecto monumental. Era, de cerca, como una Giralda vista de lejos, y mi nostalgia de ciudades, aguda con la primavera, encontraba en ella un consuelo melancólico.

Retorno... ¿adonde?, ¿de qué?, ¿para qué?... Pero los lirios que venían conmigo olían más en la frescura tibia de la noche que se entraba; olían con un olor más penetrante y, al mismo tiempo, más vago, que salía de la flor sin verse la flor, que embriagaba el cuerpo y el alma desde la sombra solitaria.

—¡Alma mía, lirio en la sombra!—dije. Y pensé, de pronto, en Platero, que, aunque iba debajo de mí, se me había olvidado.

XL

EL PASTOR

EN la colina, que la hora morada va tornando obscura y medrosa, el pastorcillo, negro contra el verde ocaso de cristal, silba en su pito, bajo el temblor de Venus. Enredadas en las flores que huelen más y ya no se ven, cuyo aroma las exalta hasta darles forma en la sombra en que están perdidas; tintinean, paradas, las esquilas claras y dulces del rebaño, disperso un momento, antes de entrar al pueblo, en el paraje conocido.

—Zeñorito, zi eze burro juera mío...

El chiquillo, más moreno y más idílico en la hora dudosa, recogiendo en los ojos rápidos cualquier brillantez del instante, parece uno de aquellos rapaces que pintó Bartolomé Esteban Murillo.

Yo le daría el burro... Pero, ¿qué iba yo á hacer sin ti, Platerillo?

La luna, que sube, redonda, sobre la ermita de Montemayor, se ha ido derramando suavemente por el prado, donde aún yerran vagas claridades del día; y el suelo florido parece ahora de ensueño, no sé qué encaje primitivo y bello; y las rocas son más grandes y más inminentes y más tristes; y llora más el agua del regato escondido...

Y el pastorcillo grita, codicioso, ya lejos:

—¡Je! Zi eze burro juera mío...

XLI

CONVALECENCIA

DESDE la débil iluminación amarilla de mi cuarto de convaleciente, blando de alfombras y tapices, oigo pasar por la calle nocturna, como en un sueño con relente de estrellas, ligeros burros que retornan del campo, niños que juegan y gritan.

Se adivinan cabezotas obscuras de asnos, y cabecitas finas de niños, que, entre los rebuznos, cantan, con cristal y plata, coplas de Navidad. El pueblo se siente envuelto en una humareda de castañas tostadas, en un vaho de establos, en un humo de hogares en paz...

Y mi alma se derrama, purificadera, como si un raudal de aguas celestes le surtiera de la peña en sombra del corazón. ¡Anochecer de redenciones! ¡Hora íntima, fría y tibia á un tiempo, llena de claridades infinitas!

Las campanas, allá arriba, allá fuera, repican entre las estrellas. Contagiado, Platero rebuzna en su cuadra, que parece que está muy lejos... Yo lloro, débil, conmovido y solo, igual que Fausto...

XLII

LA NIÑA CHICA

L A niña chica era la gloria de Platero. En cuanto la veía venir hacia él, entre las lilas, con su vestídillo blanco y su sombrero de arroz, llamándolo, mimosa:—Platero, Platerillo!—, el asnucho quería partir la cuerda, y saltaba, igual que un niño, y rebuznaba loco.

Ella, en una confianza ciega, pasaba una vez y otra bajo él, y le pegaba pataditas, y le dejaba la mano, nardo cándido, en aquella bocaza rosa, almenada de grandes dientes amarillos; ó, cogiéndole las orejas, que él ponía á su alcance, lo llamaba con todas las variaciones mimosas de su nombre: ¡Platero! ¡Platerón! ¡Platerillo! ¡Platerete!

En los largos días en que la niña navegó en su cuna alba, río abajo, hacia la muerte, nadie se acordaba de Platero. Ella, en su delirio, lo llamaba, triste: ¡Platerillo...! Desde la casa obscura y llena de suspiros, se oía, á veces, la lejana llamada lastimera del amigo. ¡Oh, estío melancólico!

¡Qué lujo puso Dios en ti, tarde del entierro! Septiembre, rosa y oro, declinaba. Desde el cementerio ¡cómo resonaba la campana de vuelta en el ocaso abierto, camino de la gloria!... Volví por las tapias, solo y mustio, entré en la casa por la puerta del corral, y, huyendo de los hombres, me fuí á la cuadra y me senté á llorar con Platero.

XLIII

EL OTOÑO

YA el sol, Platero, empieza á sentir pereza de salir de sus sábanas, y los labradores madrugan más que él. Es verdad que está desnudo y que hace fresco.

¡Cómo sopla el Norte! Mira, por el suelo, las ramitas caídas; es el viento tan agudo, tan derecho, que están todas paralelas, apuntadas al Sur.

El arado va, como una tosca arma de guerra, á la labor alegre de la paz, Platero; y en la ancha senda húmeda, los árboles amarillos, seguros de verdecer, alumbran, á un lado y otro, vivamente, como suaves hogueras de oro claro, nuestro rápido caminar.

XLIV

SARITO

PARA la vendimia, estando yo una tarde roja en la viña del arroyo, las mujeres me dijeron que un negrito
preguntaba por mí.

Iba yo hacia la era, cuando él venía ya vereda abajo:

—¡Sarito!

Era Sarito, el criado de Rosalina, mi novia portorriqueña.
Se había escapado de Sevilla para torear por los pueblos,
y venía de Niebla, andando, el capote, dos veces grana, al
hombro, con hambre y sin dinero.

Los vendimiadores lo miraban de reojo, en un mal disi-
mulado desprecio; las mujeres, más por los hombres que
por ellas, lo evitaban. Antes, al pasar por el lagar, se había
peleado ya con un muchacho que le había partido una oreja
de un mordisco.

Yo le sonreía y le hablaba afable. Sarito, no atreviéndose
á acariciarme á mí mismo, acariciaba á Platero, que andaba
por allí comiendo uva, y me miraba, en tanto, noblemente...

XLV

TARDE DE OCTUBRE

HAN pasado las vacaciones, y, con las primeras hojas gualdas, los niños han vuelto al colegio. Soledad. El sol de la casa parece vacío. En la ilusión suenan gritos lejanos y remotas risas...

Sobre los rosales, aún con flor, cae la tarde, lentamente. Las lumbres del ocaso prenden las últimas rosas, y el jardín, alzando como una llama de fragancia hacia el incendio del Poniente, huele todo á rosas quemadas. Silencio.

Platero, aburrido como yo, no sabe qué hacer. Poco á poco se viene á mí, duda un poco, y, al fin, confiado, se entra conmigo por la casa...

XLVI

EL LORO

ESTÁBAMOS jugando con Platero y con el loro, en el huerto de mi amigo, el médico francés, cuando una mujer joven, desordenada y ansiosa, llegó, cuesta abajo, hasta nosotros. Antes de llegar, avanzando el negro mirar angustiado hasta mí, me había suplicado:

—Señorito: ¿está ahí ese médico?

Tras ella venían ya unos chiquillos astrosos, que, á cada instante, jadeando, miraban camino arriba; al fin, varios hombres que traían á otro, lívido y decaído. Era un cazador furtivo de esos que cazan venados en el coto de Doñana. La escopeta, una absurda escopeta vieja amarrada con tomiza, se le había reventado, y el cazador traía el tiro en un brazo.

Mi amigo se llegó, cariñoso, al herido, le levantó unos míseros trapos que le habían puesto, le lavó la sangre y le fué tocando huesos y músculos. De vez en cuando me miraba y me decía:

—*Ce n'est rien...*

La tarde caía. Llegaba de Huelva un olor á marisma, á brea, á pescado... Los naranjos redondeaban, sobre el poniente rosa, sus terciopelos de esmeralda. En una lila, lila y verde, el loro, verde y rojo, iba y venía, curioseándonos con sus ojitos redondos.

Al pobre cazador se le llenaban de sol las lágrimas saltadas; á veces, dejaba oir un ahogado grito. Y el loro:

—*Ce n'est rien...*

Mi amigo ponía al herido algodones y vendas...

El pobre hombre:

-¡Ay!

Y el loro, entre las lilas:

—*Ce n'est rien... Ce n'est rien.*

XLVII

ANOCHECER

E N el recogimiento pacífico y rendido de los crepúscu-
los del pueblo, ¡qué poesía cobra la adivinación de
lo lejano, el confuso recuerdo de lo apenas conocido! Es
un encanto contagioso que retiene todo el pueblo como
enclavado en la cruz de un triste y largo pensamiento.

Hay un olor al nutrido grano limpio que, bajo las frescas estrellas, amontona en las eras sus vagas colinas ama-
rillentas. Los trabajadores canturrean por lo bajo, en un
soñoliento cansancio. Sentadas en los zaguanes, las viudas
piensan en los muertos, que duermen tan cerca, detrás de
los corrales. Los niños corren, de una sombra á otra, como
de un árbol á otro los pájaros...

Acaso, entre la luz umbrosa que perdura en las fachadas
de cal de las casas humildes, pasan vagas siluetas terrosas,
calladas, dolientes—un mendigo nuevo, un portugués que
va hacia las rozas, un ladrón acaso—, que contrastan, en su
obscura apariencia medrosa, con la mansedumbre que el
crepúsculo malva, lento y místico, pone en las cosas cono-
cidas... Los niños se alejan, y en el misterio de las puertas
sin luz, se hablan de unos hombres que "sacan el unto para
curar á la hija del rey, que está hética..."

XLVIII

EL ROCÍO

PLATERO—le dije á mi burrillo—; vamos á esperar las Carretas. Traen el rumor del lejano bosque de Doñana, el misterio del pinar de las Animas, la frescura de las Madres y de los dos Frenos, el olor de la Rocina...

Me lo llevé, guapo y lujoso, á que piropeara á las muchachas, por la calle de la Fuente, en cuyos aleros de cal se moría, en una alta cinta rosa, el vacilante sol de la tarde. Luego nos pusimos en el vallado de los Hornos, desde donde se ve todo el camino de los Llanos.

Venían ya, cuesta arriba, las Carretas. La suave llovizna de todos los Rocíos caía sobre las viñas verdes, de una pasajera nube malva. Pero la gente no levantaba siquiera los ojos al agua.

Pasaron, primero, en burros, muías y caballos ataviados á la moruna, las alegres parejas de novios, ellos alegres, valientes ellas. El rico y vivo tropel iba, volvía, se alcanzaba incesantemente en una locura sin sentido. Seguía luego el carro de los borrachos, estrepitoso, agrio y trastornado; detrás, las carretas, como lechos, colgadas de blanco, con las muchachas, morenas y floridas, sentadas bajo el dosel, repicando panderetas y chillando sevillanas. Más caballos, más burros... Y el mayordomo—¡Viva la Virgen del Rocío! Vivaaaaa...!—cano, seco y rojo, con el sombrero ancho á la espalda y la vara de oro descansada en el estribo. Al fin, mansamente tirado por dos grandes bueyes píos, que parecían obispos con sus frontales de colorines y espejos, el Sin Pecado, malva y de plata en su carro blanco, todo en flor, como un cargado jardín mustio.

Se oía ya la música, ahogada entre el campaneo, los cohetes, el duro herir de los cascos herrados en las piedras...

Platero, entonces, dobló sus manos, y, como una mujer, se arrodilló, blando, humilde y consentido.

XLIX

LOS GORRIONES

LA mañana de Santiago está nublada de blanco y gris, como guardada en algodón. Todos se han ido á misa. Nos hemos quedado en el jardín los gorriones, Platero y yo.

¡Los gorriones! Bajo las redondas nubes, que, á veces, llueven unas gotas finas, ¡cómo entran y salen en la enredadera, cómo chillan, cómo se cogen de los picos! Este cae sobre una rama, se va y la deja temblando; el otro bebe en un charquito del brocal del pozo, que tiene en sí un pedazo de cielo; aquél ha saltado al tejadillo lleno de flores casi secas, que el día pardo aviva.

¡Benditos pájaros, sin fiesta fija! Con la libre monotonía de lo nativo, de lo verdadero, nada, á no ser una dicha vaga, les dicen á ellos las campanas. Contentos, sin fatales obligaciones, sin esos olimpos ni esos avernos que extasían ó que amedrentan á los pobres hombres esclavos, sin más moral que la suya, son mis hermanos, mis dulces hermanos.

Viajan sin dinero y sin maletas; mudan de casa cuando se les antoja; presumen un arroyo, presienten una fronda, y sólo tienen que abrir sus alas para conseguir la felicidad; no saben de lunes ni de sábados; se bañan en todas partes, á cada momento; aman el amor sin nombre, la amada universal.

Y cuando las gentes, ¡las pobres gentes!, se van á misa, los domingos, ellos, en un alegre ejemplo, se vienen de pronto, con su algarabía fresca y jovial, al jardín de las casas cerradas, en las que algún poeta, que ya conocen bien, y algún burrillo tierno, los contemplan fraternales.

L

IDILIO DE NOVIEMBRE

CUANDO, anochecido, vuelve Platero del campo, con su blanda carga de ramas de pino para el horno, casi desaparece bajo la amplia verdura rendida. Su paso es menudo, fino, juguetón... Parece que no anda. En punta las orejas, se diría un caracol debajo de su casa.

Las ramas verdes, ramas que, erguidas, tuvieron en ellas el sol, los chamarices, el viento, la luna, los cuervos—¡qué horror! ¡ahí han estado, Platero!—, se caen, pobres, hasta el polvo blanco de las sendas secas del crepúsculo.

Una fría dulzura malva lo nimba todo. Y en el campo, que va ya á Diciembre, la tierna humildad del burro, cargado empieza á parecer divina...

LI

EL CANARIO SE MUERE

MIRA, Platero; el canario de los niños ha amanecido hoy muerto en su jaula de plata. Es verdad que el pobre estaba ya muy viejo... El invierno, tú te acuerdas bien, lo pasó silencioso, con la cabeza, escondida en el plumón. Y al entrar esta primavera, cuando el sol hacía jardín la estancia abierta y abrían las mejores rosas del patio, él quiso también engalanar la vida nueva, y cantó; pero su voz era quebradiza y asmática, como la voz de una flauta cascada.

El mayor de los niños, que lo cuidaba, viéndolo yerto en el fondo de la jaula, se ha apresurado, lloroso, á decir:

—¡Pues no le ha faltado nada; ni comida, ni agua!

No. No le ha faltado nada, Platero. Se ha muerto porque sí—diría Campoamor, otro canario viejo...

Platero, ¿habrá un paraíso de los pájaros? ¿Habrá un vergel verde sobre el cielo azul, todo en flor de rosales áureos, con almas de pájaros blancos, rosas, celestes, amarillos?

Oye; á la noche, los niños, tú y yo bajaremos el pájaro muerto al jardín. La luna está ahora llena, y á su pálida plata, el pobre cantor, en la mano cándida de Blanca, parecerá el pétalo mustio de un lirio amarillento. Y lo enterraremos debajo del rosal grande.

Esta misma primavera, Platero, hemos de ver al pájaro salir del corazón de una rosa blanca. El aire fragante se pondrá canoro, y habrá por el sol de Abril un errar encantado de alas invisibles y un reguero secreto de trinos claros de oro puro.

LII

LOS FUEGOS

PARA Septiembre, en las noches de velada, nos poníamos en el cabezo que hay detrás de la casa del huerto, á sentir el pueblo en fiesta desde aquella paz fragante que emanaban los nardos de la alberca.

Ya tarde, ardían los fuegos. Primero eran sordos estampidos enanos; luego, cohetes sin cola, que se abrían arriba, en un suspiro, cual un ojo estrellado que viese, un instante, rojo, morado, azul, el campo; y otros cuyo esplendor caía como una doncellez desnuda que se doblara de espaldas, como un sauce de sangre que gotease flores de luz. ¡Oh, qué pavos reales encendidos, qué macizos aéreos de claras rosas, qué faisanes de fuego por jardines de estrellas!

Platero, cada vez que sonaba un estampido, se estremecía, azul, morado, rojo, en el súbito iluminarse del espacio, y en la claridad vacilante yo veía sus grandes ojos negros que me miraban asustados.

Cuando, como remate, entre el lejano vocerío del pueblo, subía al cielo la áurea corona giradora del castillo, Platero huía entre las cepas, como alma que lleva el diablo, rebuznando enloquecido, hacia los tranquilos pinos en sombra.

LIII

EL RACIMO OLVIDADO

DESPUÉS de las largas lluvias de Octubre, en el oro celeste del día abierto, nos fuimos todos á las viñas. Platero llevaba la merienda y los sombreros de los niños en un cobujón del seroncillo, y en el otro, de contrapeso, tierna, blanca y rosa, como una flor de albérchigo, á Blanca..

¡Qué encanto el del campo renovado! Iban los arroyos rebosantes, estaban blandamente aradas las tierras, y en los chopos marginales, festoneados todavía de amarillo, se veían ya los pájaros, negros.

De pronto, los niños, uno tras otro, corrieron, gritando:

—¡Un racimo! ¡Un racimo!

En una cepa vieja, cuyos largos sarmientos enredados mostraban aún algunas renegridas y rojizas hojas secas, encendía el picante sol un claro y sano racimo de ámbar. ¡Todos lo querían! Victoria, que lo cogió, lo defendía á su espalda. Entonces yo se lo pedí, y ella, con esa dulce obediencia voluntaria que presta al hombre la niña que va para mujer, me lo cedió de buen grado.

Tenía el racimo cinco grandes uvas. Le di una á Victoria, una á Blanca, una á Lola, una á Pepe, y la última, entre las risas y las palmas de todos, á Platero, que la cogió, brusco, con sus dientes enormes.

LIV

NOCHE PURA

LAS almenadas azoteas blancas se cortan secamente sobre el alegre cielo azul, gélido y estrellado. El Norte silencioso acaricia, vivo, con su pura agudeza.

Todos creen que tienen frío y se esconden en las casas, y las cierran. Nosotros, Platero, vamos á ir despacio, tú con tu lana y con mi manta, yo con mi alma, por el limpio pueblo solitario.

¡Qué fuerza de adentro me eleva, cual si fuese yo una torre de piedra tosca con remate de plata! ¡Mira cuánta estrella! De tantas como son, marean. Se diría que el cielo le está rezando á la tierra un encendido rosario de amor ideal.

¡Platero, Platero! Diera yo toda mi vida y anhelara que tú quisieras dar la tuya, por la pureza de esta alta noche de Enero, sola, clara y dura!

LV

EL ALBA

E N las lentas madrugadas de invierno, cuando los gallos alertas ven las primeras rosas del alba y las saludan, galantes, Platero, harto de dormir, rebuzna largamente. ¡Cuan dulce su lejano despertar, en la luz celeste que entra por las rendijas de la alcoba! Yo, deseoso también del día, pienso en el sol desde mi lecho mullido.

Y pienso en lo que habría sido del pobre Platero si en vez de caer en mis manos de poeta hubiese caído en las de uno de esos carboneros que van, todavía de noche, por la dura escarcha de los caminos solitarios, á robar los pinos de los montes, ó en las de uno de esos gitanos astrosos que pintan los burros y les dan arsénico y les ponen alfileres en las orejas para qué no se les caigan.

Platero rebuzna de nuevo. ¿Sabrá que pienso en él? ¿Qué me importa? En la ternura del amanecer, su recuerdo me es grato como el alba. Y, gracias á Dios, él tiene una cuadra tibia y blanda como una cuna, amable como mi pensamiento.

LVI

NAVIDAD

L A candela en el campo!... Es tarde de Nochebuena, y un sol opaco y débil clarea apenas en el cielo crudo, sin nubes, todo gris en vez de todo azul. De pronto, es un estridente crujido de ramas verdes que empiezan á arder; luego, el humo apretado, blanco como armiño, y la llama, al fin, que limpia el humo y puebla el aire de lenguas momentáneas.

¡Oh, la llama en el viento! Espíritus rosados, amarillos, malvas, azules, se pierden no sé donde, subiendo á un secreto cielo bajo; ¡y dejan un olor de ascua en el frió! ¡Campo, tibio ahora, de Diciembre! ¡Invierno con cariño! ¡Nochebuena de los felices!

Las jaras vecinas se derriten. El paisaje, á través del aire caliente, tiembla y se purifica como si fuese de cristal errante. Y los niños del casero, que no tienen Nacimiento, se vienen alrededor de la candela, pobres y tristes, á calentarse las manos arrecidas, y echan en las brasas bellotas y castañas, que saltan, en un tiro.

Y se alegran luego, y saltan sobre el fuego, que ya la noche va enrojeciendo, y cantan:

...Camina,: María,
camina, José...

Yo les traigo á Platero, para que juegue con ellos.

LVII

EL INVIERNO

DIOS está en su palacio de cristal. Quiero decir que llueve, Platero. Llueve. Y las últimas flores que el otoño dejó obstinadamente prendidas á sus ramas exangües, se cargan de diamantes. En cada diamante, un cielo, un palacio de cristal, un Dios. Mira, esta rosa; tiene dentro otra rosa de agua; y al sacudirla, ¿ves?, se le cae la nueva flor brillante, como su alma, y se queda mustia y triste, igual que la mía.

El agua debe ser tan alegre como el sol. Mira, si no, cuál corren felices, los niños, bajo ella, recios y colorados, con las piernas al aire. Ve cómo los gorriones se entran todos, en bullanguero bando súbito, en la hiedra, en la escuela, Platero, como dice Darbón, tu médico.

Llueve. Hoy no vamos al campo. Es día de contemplaciones. Mira cómo corren las canales del tejado. Mira cómo se limpian las hojas verdes, cómo torna á navegar por la cuneta el barquillo de los niños, parado ayer entre la hierba. Mira ahora, en este sol instantáneo y débil, cuan bello el arco iris que sale de la iglesia y muere, en una vaga irisación, á nuestro lado.

LVIII

IDILIO DE ABRIL

LOS niños han ido con Platero al arroyo de los chopos, y ahora lo traen trotando, entre juegos y risas, todo cargado de flores amarillas. Allá abajo les ha llovido—aquella nube fugaz que veló el campo verde con sus hilos de oro y plata—. Y sobre la empapada lana del asnucho las mojadas campanillas gotean todavía.

¡Idilio fresco, alegre, sentimental! ¡Hasta el rebuzno de Platero se hace tierno bajo la dulce carga llovida! De cuando en cuando, vuelve la cabeza y arranca las flores á que su boca alcanza. Las campanillas, níveas y gualdas, le cuelgan, un momento, entre el blanco babear verdoso y luego se le van á la barrigota cinchada. ¡Quién, como tú, Platero, pudiera comer flores,... y que no le hicieran daño!

¡Tarde equívoca de Abril!... Los ojos brillantes y vivos de Platero copian todo el paisaje de sol y de lluvia. En ocaso, sobre el campo de San Juan, se ve llover, deshilachada, otra nube rosa...

LIX

LIBERTAD

LLAMÓ mi atención, perdida por las flores de la vereda, un encendido pajarillo que, sobre el húmedo prado verde, abría sin cesar su preso vuelo policromo. Nos acercamos despacio, yo delante, Platero detrás. Había por allí un bebedero sombrío, y unos muchachos traidores le tenían puesta una red á los pájaros. El triste reclamillo se levantaba hasta su pena, llamando, sin querer, a sus hermanos del cielo.

La mañana era clara, pura, traspasada de azul. Caía del pinar vecino un leve concierto de trinos exaltados, que venía y se alejaba, sin irse, en el manso y áureo viento playero que ondulaba las copas. ¡Pobre concierto inocente, tan cerca del mal corazón!

Monté en Platero, y, obligándolo con las piernas, subimos, en un agudo trote, al pinar. En llegando bajo la umbría cúpula frondosa, batí palmas, canté, grité. Platero, contagiado, rebuznaba una vez y otra, rudamente. Y los ecos respondían, secos y sonoros, como en el fondo de un gran pozo. Los pájaros se fueron á otro pinar, cantando.

Platero, entre las lejanas maldiciones de los chiquillos violentos, rozaba su cabezota peluda, contra mi corazón, dándome las gracias hasta lastimarme el pecho.

LX

LA MUERTE

ENCONTRÉ á Platero echado en su cama de paja, blandos los ojos y tristes. Fuí á él, lo acaricié, hablándole, y quise que se levantara...

El pobre se removió todo bruscamente, y dejó una mano arrodillada... No podía... Entonces le tendí su mano en el suelo, lo acaricié de nuevo con ternura, y mandé venir á su médico. El viejo Barbón, así que lo hubo visto, sumió la enorme boca desdentada hasta la nuca y meció sobre el pecho la cabeza congestionada, igual que un péndulo.

—Nada bueno, ¿eh?

No sé qué contestó.-. Que el infeliz seiba... Nada... Que un dolor... Que no sé qué raíz mala... La tierra, entre la hierba...

A mediodía, Platero estaba muerto. La barriguilla de algodón se le había hinchado como el mundo, y sus patas, rígidas y descoloridas, se elevaban al cielo. Parecía su pelo rizoso ese pelo de estopa apelillada de las muñecas viejas, que se cae, al pasarle la mano, en una polvorienta tristeza...

Por la cuadra en silencio, encendiéndose cada vez que pasaba por el rayo de sol de la ventanilla, revolaba una bella mariposa de tres colores...

LXI
NOSTALGIA

PLATERO, tú nos ves, ¿verdad?

¿Verdad que ves cómo se ríe en paz, clara y fría, el agua de la noria el huerto; cuál vuelan, en la luz última, las afanosas abejas, en torno del romero verde y malva, rosa y oro por el sol que aún enciende la colina?

Platero, tú nos ves, ¿verdad?

¿Verdad que ves pasar por la cuesta roja de la Fuente Vieja los borriquillos de las lavanderas, cansados, cojos, tristes en la inmensa pureza que une tierra y cielo en un solo cristal de esplendor?

Platero, tú nos ves, ¿verdad?

¿Verdad que ves á los niños corriendo, arrebatados, entre las jaras, que tienen posadas en sus ramas sus propias flores, liviano enjambre de vagas mariposas blancas, goteadas de carmín?

Platero, tú nos ves, ¿verdad?

Platero, ¿verdad que tú nos ves? Sí, tú me ves. Y yo oigo en el poniente despejado, endulzando todo el valle de las viñas, tu tierno rebuzno lastimero...

LXII

EL BORRIQUETE

PUSE en el borriquete de madera la silla, el bocado y el ronzal del pobre Platero, y lo llevé todo al granero grande, al rincón en donde están las cunas olvidadas de los niños. El granero es ancho, silencioso, soleado. Desde él se ve todo el campo moguereño: el Molino de viento, rojo, á la izquierda; enfrente, embozado en pinos, Montemayor, con su ermita blanca; tras de la iglesia, el recóndito huerto de la Pina; en el Poniente, el mar, alto y brillante en las mareas del estío.

Por las vacaciones, los niños se van á jugar al granero. Hacen coches, con interminables tiros de sillas caídas; hacen teatros, con periódicos pintados de almagra, iglesias, colegios...

A veces, se suben en el borriquete sin alma, y con un jaleo inquieto y raudo de pies y manos, trotan por el prado de sus sueños:

—¡Arre, Platero! ¡Arre, Platero!

LXIII

MELANCOLÍA

ESTA tarde he ido con los niños á visitar la sepultura de Platero, que está en el huerto de la Pina, al pie del pino paternal. En torno, Abril había adornado la tierra húmeda de grandes lirios amarillos.

Cantaban los chamarices allá arriba, en la cúpula verde, toda pintada de cenit azul, y su trino menudo, florido y reidor, se iba en el aire de oro de la tarde tibia, como un claro sueño de amor nuevo.

Los niños, así que iban llegando, dejaban de gritar. Quietos y serios, sus ojos brillantes en mis ojos, me llenaban de preguntas ansiosas.

—¡Platero amigo!—le dije yo á la tierra—; si, como pienso, estás ahora en un prado del cielo y llevas sobre tu lomo peludo á los ángeles adolescentes, ¿me habrás, quizá, olvidado? Platero, dime: ¿te acuerdas aún de mi?

Y, cual contestando mi pregunta, una leve mariposa blanca, que antes no había visto, revolaba insistentemente, igual que un alma, de lirio á lirio...

Moguer, 1907.

A PLATERO EN EL CIELO DE MOGUER.

D ULCE *Platero trotón, burrillo mío, que llevaste mi alma tantas veces—¡sólo mi alma!—por aquellos hondos caminos de nopales, de malvas y de madreselvas; á ti este libro que habla de ti, ahora que puedes entenderlo.*

Va á tu alma, que ya pace en el Paraíso, por el alma de aquellos paisajes moguereños, qué también habrá subido al cielo con la tuya; lleva montada en su lomo de papel á la mía, que, caminando entre zarzas en flor á su ascensión, se hace más buena, más pacífica, más pura cada día.

Sí. Yo sé que, á la caída de la tarde, cuando, entre las oropéndolas y los azahares, llego, lento y pensativo, por el naranjal solitario, al pino que arrulla tu muerte, tú, Platero, feliz en tu prado de rosas eternas, me verás detenerme ante los lirios amarillos que ha brotado tu descompuesto corazón.

F I N

Made in the USA
Coppell, TX
21 August 2021